WALT DISNEY
Lustiges Taschenbuch
SPEZIAL
Nummer 2?

Monster-Alarm!

Walt Disneys Lustiges Taschenbuch Spezial erscheint quartalsweise bei Egmont Ehapa Verlag GmbH, Wallstraße 59, D-10179 Berlin; **Chefredakteur:** Peter Höpfner, Wallstraße 59, D-10179 Berlin. **Druck:** GGP Media GmbH, Karl-Marx-Str.24, D-07381 Pößneck. **Anzeigenleitung (verantwortlich):** Ingo Höhn, Egmont Ehapa Verlag GmbH, Wallstraße 59, D-10179 Berlin. **Anzeigenverkauf Deutschland:** Johanna Vogel, Tel.: 030/24008-116. **Anzeigenverkauf Österreich:** Sylvia Beinhart, Tel.: 01/4700991. **Anzeigenverkauf Schweiz:** Print Promotion, Tel.:031/7801818. **Leserservice Deutschland:** Egmont Ehapa Verlag, Lustiges Taschenbuch Leserservice, Postfach, 20080 Hamburg, Leserservicenummer: 01805/7005800 (0,12€ / Minute), Fax:01805/8618002 (0,12€/ Minute), E-mail: leserservice@ehapa.de. **Schweiz:** Lustiges Taschenbuch Leserservice, Postfach, 6002 Luzern, Tel.: 041/3292285, Fax: 041/3292204, E-mail: leserservice@ehapa.ch. **Österreich:** Lustiges Taschenbu‌ Leserservice, Postfach 5, 6960 Wolfurt, Tel.: 0820/001087, Fax: 0820/001086, E-mail: leserservice@eha‌

INHALT

Es ist Gruselzeit,

liebe Freunde der Nacht und der geheimnisvollen Wesen aus der jenseitigen Welt!
Mächtig Mut und unerschütterliche Unerschrockenheit brauchen wir Entenhausener, um die wahrlich schauderhaften Abenteuer dieses Bandes zu bestehen. Ein unheimliches Sumpfmonster wird Micky und Goofy fast zum Verhängnis, und in ihrem Urlaub am Lago Paradiso treffen die beiden dann sogar auf ein riesiges Ungetüm, das eine ganze Stadt in Angst und Schrecken versetzt. Dafür bewahrt Goofy bei Geistern und Hexen erstaunliche Ruhe, denn er glaubt ganz einfach nicht, dass es sie gibt! Doch er wird bald eines Besseren belehrt, was ihn in wirklich haarsträubende, aber auch total lustige Situationen bringt. Auch Donald macht Bekanntschaft mit Geisterwesen und muss feststellen, dass sogar sie ihre Sorgen und Nöte haben. Ein besonders störrischer Gespensterfreund versüßt ihm obendrein einen langweiligen Sommer im heißen Entenhausen.
Viele schaurig-schöne Lesestunden und fröhliches Zähneklappern wünschen euch

eure

Entenhausener

Rückkehr zur Horrorinsel

Manchmal wählt das Schicksal seltsame Wege, um Erinnerungen an Dinge, Personen oder Erlebnisse aus der Vergangenheit wachzurufen. Diese Erfahrung macht auch Onkel Dagobert in dieser Geschichte...

Das ist das exklusivste und teuerste Hotel in der ganzen Stadt!

HOTEL KRÖSUS

I/T 2134-4

6

Der Maharadscha von Raschnipur macht jedes Jahr Urlaub in diesem Hotel.

Er besitzt den Regenbogen-Diamanten. Das ist der einzige, der in meiner Sammlung noch fehlt.

Seit Jahren weigert er sich, ihn mir zu verkaufen und mich zu empfangen.

„Ich habe schon in allen Verkleidungen versucht, an ihn ranzukommen..."

Alarm! Dagobert Duck!

NICHT STÖREN!

„...und die ausgebufftesten Verstecke ausbaldowert..."

„...aber die Anti-Duck-Alarmanlage hat mich jedes Mal entlarvt!"

Alarm! Dagobert Duck!

8

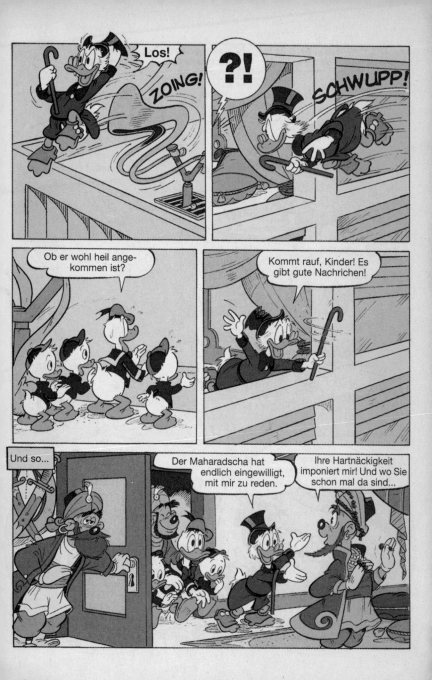

Los!

ZOING!

?!

SCHWUPP!

Ob er wohl heil ange-
kommen ist?

Kommt rauf, Kinder! Es
gibt gute Nachrichen!

Und so...

Der Maharadscha hat
endlich eingewilligt,
mit mir zu reden.

Ihre Hartnäckigkeit
imponiert mir! Und wo Sie
schon mal da sind...

10

11

12

13

Dabei war ich als junger Mann geradezu ein Hänfling! Tänzer wollte ich werden...

POFF!

...aber dann ist alles ganz anders gekommen. Seufz!

Also gut, zwei Millionen! Das ist mehr, als er wert ist.

Nun geben Sie's endlich auf!

Nein! Ich brauch nur einen Moment zum Verschnaufen...

Zwecklos! Ich verkaufe Ihnen den Diamanten nicht!

Aber für einen Teller Nesselkraut wäre ich bereit, Ihnen den Stein zu schenken!

?

Ist das Ihr Ernst?

Ein Maharadscha steht zu seinem Wort!

Polieren Sie den Diamanten schon mal auf Hochglanz! Und denken Sie dran, Sie haben mir Ihr Wort gegeben!

?

Was hast du vor, Onkel Dagobert? Dieses Kraut gibt es doch nicht mehr!

Falsch! An einem Ort wächst es noch.

HOTEL KRÖSUS

Und zwar auf einer kleinen, völlig unbekannten Insel!

Und woher willst du das wissen?

Weil ich es selbst gesehen habe!

Ehrlich?

Das ist eine lange Geschichte! Ich erzähl sie euch!

17

18

„...aber irgendwie schaffte ich es, das Ufer zu erreichen."

Uff! Gerettet!

STRAUCHEL!

Es war die Horrorinsel, auch „Insel der tausend Gefahren" genannt.

Klingt aufregend!

Das war es auch, Kinder!

Wie ging's dann weiter? Erzähl!

Ich war so am Ende meiner Kraft, dass ich das Bewusstsein verlor...

!

„Dann entdeckte ich, dass jemand um meinen verletzten Fuß einen Verband aus Blättern gemacht hatte..."

„...und fand ganz in meiner Nähe eine mir unbekannte Pflanze, die auf dieser Insel im Überfluss wuchs..."

Das Nesselkraut!

Richtig, Kinder!

Da die Insel nicht von Menschen bewohnt war, konnte nur dieser Affe meinen Fuß verbunden haben!

Dank seiner Hilfe war die Wunde bereits am nächsten Tag verheilt.

Und du hast ihn verjagt!

Wie undankbar!

Zum Glück kam schon bald ein Boot vorbei, und ich konnte die Insel verlassen.

Ich kehrte nie dorthin zurück, aber ich denke oft daran.

Weil es dir Leid tut, dass du den Affen so schlecht behandelt hast?

Nein, ich denke an die zehn Taler, die er mir geklaut hat.

Hmpf!

Aber jetzt werde ich zu der Insel zurückkehren und das Nesselkraut für den Maharadscha holen.

?

Wir brechen sofort auf! Bald gehört der Regenbogendiamant mir!

Typisch! Sein Herz ist noch härter als jeder Diamant!

Es tut ihm kein bisschen Leid, wie er mit dem Affen umgesprungen ist!

Ach ja, Undank ist der Welt Lohn!

Tags darauf, auf der Horrorinsel...

Du hast übertrieben, Onkel Dagobert! Für mich sieht diese Insel kein bisschen gefährlich aus!

Ganz im Gegenteil! Alles ist so ruhig und friedlich...

Kreiiisch!

27

29

33

38

41

45

47

„...zur Flussklinik nach Mangrovia."

KLINIK

BENZIN

ANGEL-KÖDER

SUPERMARKT

Warum geht keiner los und fängt dieses Sumpf-monster?

Genau! Bevor es auch diesen Ort heimsucht!

Bitte, meine Damen! Keine Panikmache!

Hört nicht auf diese zwei über-drehten Weiber! Ich habe diese Spukgeschichten von einem angeblichen Sumpfmonster endgültig satt!

48

49

50

He! Ich hab doch nur harmlos gefragt, ob Sie etwas über dieses Sumpfmonster wissen.

Schlage vor, Sie gehen baden und machen sich selbst ein Bild davon!

He! Nicht!

Keuch! Die Leute hier sind schrecklich gereizt.

Gute Neuigkeiten, Micky!

Nicht verzagen, Goofy fragen! Ich hab eine alte Fischerin überredet, uns zu helfen! Sie wohnt...

„...dort drüben auf einem Hausboot."

Versteh ich Sie richtig? Sie meinen, die Jüngeren hier im Ort und anderswo wären schuld?

Genau! Sie bringen Motorboote, Fernseher und solchen neumodischen Kram hierher. Und durch diesen Lärm fühlt sich das Monster in seiner Ruhe gestört.

51

Wie lange treibt es denn schon sein Unwesen?

Wann dieser Riesenalligator gekommen ist, weiß keiner mehr!

Er ruht auf dem Grund der Sümpfe und kommt nur an die Oberfläche, wenn er seinen Lebensraum bedroht glaubt.

Einer der jungen Hüpfer aus dem Ort hat ihn gesehen und daraufhin diese Zeichnung von ihm gemacht.

Oje! Wenn es das Biest war, Goofy, was die beiden vorhin gesehen haben, kann ich ihren Schock allerdings verstehen.

Au Backe! An dem hätte jeder Zahnarzt seine helle Freude!

Kommen Sie, ich zeige Ihnen ein Bild von ihm!

Dieser junge Bursche erzählte mir übrigens noch Folgendes...

54

55

57

Viel später...

Gegen das Sumpfmonster können wir zwei alleine nichts ausrichten. Wir müssen zurück ins Dorf und berichten, was passiert ist.

Andererseits ist es sicher nicht ratsam, im Finstern durch die Sümpfe zu irren. Ich schätze nämlich, dass es schon bald dunkel wird.

Am besten, wir richten uns in dem hohlen Baum dort ein Nachtlager ein.

Sollten wir nicht lieber oben auf einem Ast schlafen? Falls dieses unsägliche Ungetüm noch mal kommt.

RUPF!

RUPF!

Aaah! Ich hab's gewusst! Es ist zurückgekommen, um uns zu fressen!

KLAPP!

Das war nur ein Ast, Goofy! Und jetzt bequem dich von mir runter, damit wir endlich eine Mütze voll Schlaf bekommen!

PLUMPS!

Früh am nächsten Morgen...

Oje! An Schlaf war nicht zu denken, bei dem Nachtkonzert! Heulende Eulen, zirpende Grillen... Ich habe die ganze Nacht kein Auge zugetan!

Und zu allem Unglück hab ich nicht den Schimmer einer Ahnung, ob wir in die richtige Richtung unterwegs sind!

Du, Micky...

Was ist denn?

Vielleicht können wir...

„...in dieser Hütte nach dem Weg fragen."

Seltsam! Warum hortet jemand hier draußen in den Sümpfen so viele Fässer voll Benzin?

BENZIN

Und wozu braucht er hier Ersatzteile für Maschinen?

Frag mich was Leichteres! Komm, gehen wir weiter...

ORIGINAL-ERSATZ-TEILE

63

65

68

69

73

74

Das Geisterhaus

Unweit der Stadtgrenze Entenhausens gibt es einen Vergnügungspark, der leider schon seit vielen Jahren stillgelegt ist...

WALT DISNEY

GEISTER HAUS

POP-CORN

SCHIESS-BUDE

I/T 1737 A

76

Damit wir keine unnötige Zeit verlieren, habe ich den Vertrag bereits vorbereiten lassen.

Sie bekommen den ganzen Vergnügungspark für die Kleinigkeit von einer Million Taler!

Ich nehme ihn für **neunhunderttausend!**

Für das Geisterhaus habe ich keine Verwendung. Mit dieser Attraktion kann man die Kinder von heute nicht mehr anlocken.

Die sind viel zu aufgeklärt, um sich vor Geistern und solchem Mummenschanz noch zu gruseln. Das können Sie behalten, Herr Duck!

Hmpf! Na gut, an dieser Kleinigkeit soll der Vertrag nicht scheitern.

KRITZEL!

Sehr gut! Hier ist Ihr Scheck!

Und Sie bekommen dafür die Besitzurkunde!

Gratuliere! Mit diesem Handel haben Sie ein hervorragendes Geschäft gemacht.

77

Man fackelt nicht lange...

Was? Du willst uns einfach auf die Straße setzen?

Ts! Ts! Nun mach mal halblang, wenn ich mich so salopp ausdrücken darf!

Ich fordere euch lediglich höflich auf, mein Haus zu verlassen! Nicht mehr und nicht weniger!

Grrr!

Schluck!

Du würdest es wirklich übers Herz bringen, diesen unschuldigen Kindern ihr Heim zu nehmen, und zusehen, wie sie obdachlos durch die Straßen irren?

Aber, aber! Für wie skurpellos hältst du mich eigentlich, Donald?

Ihr sollt lediglich in ein Haus umziehen, für das selbst du die Miete aufbringen kannst. Hier ist der Mietvertrag!

Puuuh!

Hmpf! Zeig her!

MIETVERTRAG

80

84

Siehst du, das war schon der ganze Spuk! Jetzt, wo du weißt, dass es eine Puppe ist, hast du keine Angst mehr, oder?

Na ja, sagen wir... fast keine.

Aber um weiteren unliebsamen Überraschungen zuvorzukommen, lassen wir unsere Koffer hier stehen und sehen uns die „Geister" erst mal etwas genauer an!

Das ist eine prima Idee!

Gesagt, getan...

Huch! Was für ein riesiges Spinnennetz! Glaubt ihr, die Spinne ist lebendig?

Aber nein! Das Netz besteht doch aus Nylonfäden!

Und die Spinne ist aus Plastik! Da, schau!

STUPS!

Hihihi! Wenn ich ehrlich sein soll... irgendwie gefällt mir dieses verrückte Haus!

STUPS!

Wirklich lustig, dieser Mummenschanz! Hihi!

So, so, lustig! Dann wart mal ab, Freundchen! Heut Nacht wird dir das Lachen bestimmt vergehen!

86

Sie werden von unsichtbaren Nylonfäden gezogen.

Puh! Ein toller Trick, das muss ich sagen!

UAHAHU!!!

HUSCHHH!

Oh, seht doch! Das ist die Wohnung, in der der Pächter gelebt haben muss!

Worauf warten wir dann noch?

Freut euch nicht zu früh! Wer weiß, ob sie überhaupt bewohnbar ist.

PÄCHTER

Oha, guck an! Die Bude ist gar nicht übel! Dieses eine Mal hat Onkel Dagobert offenbar nicht zu viel versprochen!

Juhuuu! Hier gibt es sogar einen Farbfernseher!

KLICK!

Dann ist ja alles bestens! Ich hole die Koffer, und ihr könnt inzwischen schon mal ein bisschen auf Staubfang gehen!

Hehe! Den Kindern gefällt's hier und mir auch! Ich bin sicher, dass wir uns in unserer neuen Wohnung pudelwohl fühlen werden!

Abwarten! Bis morgen früh wirst du deine Meinung sicher geändert haben!

Am Abend...

HUIIIIIII!

Puh! Ich bin so satt, dass ich keinen Bissen mehr runterkriege!

Ich schlage vor, dass wir uns jetzt aufs Ohr hauen, Kinder! Nach diesen vielen Aufregungen heute bin ich todmüde.

Erst der Rausschmiss aus unserem Heim... gähn...

...dann dieses Gruselkabinett hier im Haus...

Vorsicht, Onkel Donald!

Uaaaah!

Das ist nicht die Tür zu deinem Schlafzimmer! Oje! Zu spät! Schnell, wir müssen ihm helfen!

KLAPPER!

Verschwindet!

Nur keine Panik! In dieser Abstellkammer werden die Reservegeister aufbewahrt.

Da drin kann man von allem etwas finden.

Teufel, einäugige Piraten, Gerippe...

Danke, du brauchst nicht alles aufzuzählen! Hab schon verstanden.

Während du das Essen gemacht hast, haben wir schon mal die Schlafzimmer hergerichtet und die Betten bezogen.

Wir drei schlafen da drin.

Ach ja? Lasst mich mal reingucken!

Drei Betten übereinander!

Das spart massig Platz!

Und du bekommst ein großes Zimmer ganz für dich allein, Onkel Donald!

Na, gefällt es dir?

Gähn... weiß nicht! Das muss ich morgen erst mal genauer inspizieren!

Warum hast du uns geweckt?

Du bist so blass! Ist was nicht in Ordnung?

Schon gut! Regt euch nicht auf!

Ich hab nur gedacht, ihr hättet Angst, weil es so schrecklich donnert und blitzt! Da wollte ich nachsehen, ob... uah!

SKRIIIEK!

Himmel, hilf! Was ist das für ein unmenschlicher Schrei?

UAAARK!

Das ist kein Schrei, Onkel Donald!

Der stürmische Wind hat nur das alte Riesenrad in Bewegung gesetzt.

HUUUUU!

KRA-KRA-KRANG!

HUUUIIIII!

KRANG!

VRRRR!

KNARR!

Und all diese unheimlichen Laute? Habt ihr dafür etwa auch eine Erklärung?

DILÄNG!

92

Natürlich! Jedes Haus hat seine eigenen Geräusche, an die man sich erst gewöhnen muss.

Und in der Nacht klingt selbst das leiseste Knarren schrecklich laut und unheimlich.

Hihihiii!

BUUUH!

Raaah!

Und was war das? Etwa auch der Wind, ihr Schlaumeier?

Hmmm! Grässlich grusliges Gelächter...

...und ganz garstiges Geheul?

Der Sache gehen wir auf den Grund! Kommt, Brüder!

Jawohl! Wir sehen nach, was da drin los ist!

Wartet! Ich komme mit!

Gleich darauf...

Hihihi!

Schluck! Sie schon wieder! Sie hat so gelacht!

Nicht zu fassen! Die Hexe hat sich selber in Gang gesetzt!

BLIMM!

95

101

Außerdem kam mir dieser Drache irgendwie bekannt vor!

Tick hat Recht! Mir war auch so!

Ich hab's!

Dieser Drache war einer der Reservegeister, die in der Abstellkammer rumstanden. Erinnert ihr euch?

Stimmt!

Ich glaube, da will uns jemand ganz mies vergackeiern, Brüder!

PAFF!

Inzwischen...

So, ich schätze, der faule Zauber hat seine Wirkung nicht verfehlt! Die Typen sind Hals über Kopf abgedampft! Hähä!

Sollten sie wider Erwarten zurückkommen, veranstalte ich ein derartiges Spektakel, dass ihnen Hören und Sehen vergeht!

Uff!

Das war eine harte Nacht! Aber bevor ich schlafen gehe, wird erst alles wieder an seinen Platz geräumt!

ZOPP!

PFSSSSSSCH!

Schließlich muss Ordnung sein – auch in einem Geisterhaus!

102

104

Kurz darauf...

Als der Vergnügungspark vor einigen Jahren aufgegeben wurde, fand ich mich plötzlich auf der Straße wieder!

Noch eine Tasse Tee, Herr Grusel?

Danke, gern, Herr Duck!

Ich war schon zu alt, um mir eine neue Arbeit zu suchen. Deshalb wohnte ich heimlich weiterhin in dieser Wohnung, obwohl ich nicht mehr der Verwalter des Geisterhauses war.

Dann seid ihr plötzlich aufgetaucht! Und da niemand wissen durfte, dass ich hier wohne, wollte ich euch mit diesen neuen, elektronisch gesteuerten Monstern vertreiben...

...die ich zum Zeitvertreib selbst konstruiert habe. Schließlich hatte ich ja den ganzen Tag nichts anderes zu tun!

Hmmm...

Ich hoffe, ihr verzeiht mir! Lasst mir nur noch ein wenig Zeit, damit ich meine Sachen packen kann, dann verschwinde ich!

Einen Moment! Warten Sie!

Was halten Sie davon, zusammen mit uns weiter hier zu wohnen und das Geisterhaus so schnell wie möglich wieder in Betrieb zu nehmen?

Oh, Herr Duck, das wäre wundervoll! Aber die Jugend von heute ist an Geisterhäusern nun mal leider nicht mehr interessiert.

An den alten vielleicht nicht!

Aber unseres wird ein Riesenerfolg werden! Das garantiere ich!

O bitte, sagen Sie ja! Wir werden Partner und teilen uns den Gewinn!

Hm... das klingt verlockend! Ich könnte noch mehr elektronische Monster konstruieren...

Und ich gäb einen guten Kassierer ab!

Na, was ist, Herr Grusel?

Einen Monat später...

Was ist denn das für ein Umschlag, Fräulein Emsig?

Er kam zusammen mit der anderen Post, Herr Duck.

Das Angebot klingt interessant! Es ist eine Einladung zur Eröffnung des alten Vergnügungsparks, den Sie vor einem Monat verkauft haben.

Ah ja, ich erinnere mich!

Das guck ich mir an! Sagen Sie Alfred Bescheid, er soll den Wagen vorfahren!

Mach ich!

Dann kann ich auch gleich auf einen Sprung bei Donald und den Kindern vorbeischaun.

Ich bin wirklich gespannt, ob sie sich in ihrem neuen... äh... Haus schon ein bisschen eingelebt haben.

110

111

Zur gleichen Zeit, in Hexenhausen...

HÄSSLICHKEITS-SALON

BESEN-PARKPLATZ

Hicksi! Toll siehst du aus! Hässlich wie die Nacht!

Hehe! Findest du wirklich, Kunigunde?

Die Präsidentin der Hexenzunft hat mich zu sich bestellt! So eine Ehre wird einem nicht alle Tage zuteil!

Na klar! Gibt's einen besonderen Anlass für deinen Besuch im Hässlichkeitssalon?

O ja! Kann man wohl sagen!

113

Du kennst doch sicher Sir Percival Mac Snob.

Nicht persönlich! Aber ich weiß, dass er in unseren Kreisen als der vornehmste, respektabelste, klügste, bedeutendste...

Genau den meine ich! Er hat mich um Hilfe gebeten, weil ihm eine sehr unangenehme Sache widerfahren ist. Sein Schloss wurde umgebaut... in eine Diskothek!

Oh, der Ärmste!

Er ist so geschockt, dass er Schottland den Rücken kehren will. Und du sollst jetzt ein neues Domizil mit bestimmten Eigenschaften für ihn finden!

Und diese wären?

Ich habe sie dir Punkt für Punkt aufgeschrieben!

Jerum! Recht viele, wie?

114

115

117

119

121

122

Panel 1:
Was jetzt?

Keine Bange, Sir Percival! Lasst mich nur machen!

Panel 2:
Hör zu, Goofy! Das ist der Geist eines schottischen Edelmanns aus dem 13. Jahrhundert. Er ist in dieses Haus gezogen, um...

Panel 3:
Ein Geist? So was Albernes! Aber wenn du ein Haus für deinen Verwandten aus Schottland suchst, kann er von mir aus gerne bleiben.

Panel 4:
Wie? Glaubt er etwa nicht an Geister?

Nein! Und auch nicht an Hexen oder an die Magie!

Panel 5:
Unerhört! Wir müssen ihn überzeugen! Es geht um unsere Ehre!

Ich habe schon alles versucht, aber da ist nichts zu machen!

Panel 6:
Abwarten, Hicksi! Ich habe unzählige Turniere und Schlachten gewonnen. Auch aus diesem Kampf werde ich als Sieger hervorgehen!

123

131

132

133

134

136

Das hier ist ein vornehmes Villenviertel. Hier wohnen Bankiers, Millionäre, Politiker...

Ich darf wirklich zurück in mein altes Haus?

Sie müssen!

Momentchen! Ich hole nur meine Tuba!

Ich zieh zurück in die Stadt, Freunde! Bleibt von mir aus hier, solange ihr wollt, und fühlt euch ganz wie daheim!

Jetzt habt Ihr das Haus für Euch allein, Sir Percival. Seid Ihr zufrieden?

Nein, ganz und gar nicht, Hicksi!

Ich habe eine Niederlage erlitten. Ich konnte ihm keine Angst einjagen.

139

140

Die Gitarren der Horror-Mountains

Walt Disney

I/P 162-2

Er ist nicht in seinem Zimmer!

Wo sollte er sonst sein? Vor zehn steht er nie freiwillig auf!

Schau mal draußen nach! Vielleicht liegt er in seiner Hängematte.

145

146

147

149

151

153

154

155

Dann wird unser Tal von dem schrecklichen gelben Metall überflutet.

Gelbes Metall, sagen Sie?

So ist es! Es vernichtet unsere Ernte und verwüstet unser Weideland! Nur das Spiel der Gitarren kann die Flut zähmen!

Hören Sie auf meinen Rat und fliehen Sie, solange Sie noch können!

Jetzt wissen wir, dass die Gitarren tatsächlich einen Einfluss auf Gold haben!

Aber was wir nicht wussten, ist, dass ihr Klang es in die Minen zurücktreibt!

159

160

162

163

164

165

Gefahr aus der Tiefe

Walt Disney

Ein Seeungeheuer? Gibt's das wirklich? Jedenfalls machten Micky und Goofy in der Möwenbucht die unliebsame Bekanntschaft mit einem solchen. Dabei waren sie ans Meer gefahren, um einen geruhsamen Urlaub zu verbringen. Doch statt die ersehnte Ruhe zu finden, wurden sie wieder mal in ein haarsträubendes Abenteuer verwickelt...

Ach du liebes bisschen!

D 6346

Bis vor einem Jahr war das Fischerdorf in der Möwenbucht ein friedliches Fleckchen Erde...

♪ Wir fahren zur See... juchhe... ♪

Aber dann geschah etwas Entsetzliches! Ein Seeungeheuer tauchte in der Bucht auf...

Aaah! Hilfe!

...und versetzte die Fischer und ihre Familien in Angst und Schrecken...

Ein Seeunge-heuer! Rette sich, wer kann!

Sonst wird es uns alle ver-schlingen!

Bald darauf lag das Fischerdorf verlassen da und war schon fast in Vergessenheit geraten...

...bis eines Tages...

Ich glaube, wir haben uns verfahren, Goofy!

Hast du eine Ahnung, wo wir hier sind?

171

176

177

178

179

182

183

184

185

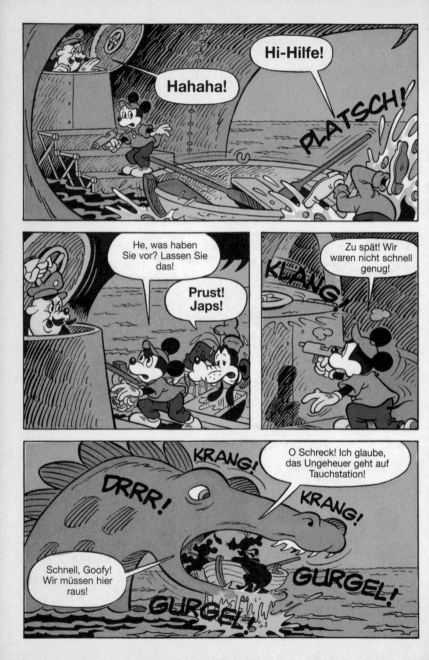

Hm...

Jetzt weiß ich, wie wir das Monster zum Halten zwingen können!

DRRRRR!

PLITSCH!

PLATSCH!

KLOCK!

Wir stehen still! Wie hast du das gemacht?

Ganz einfach! Ich hab die Schraube blockiert.

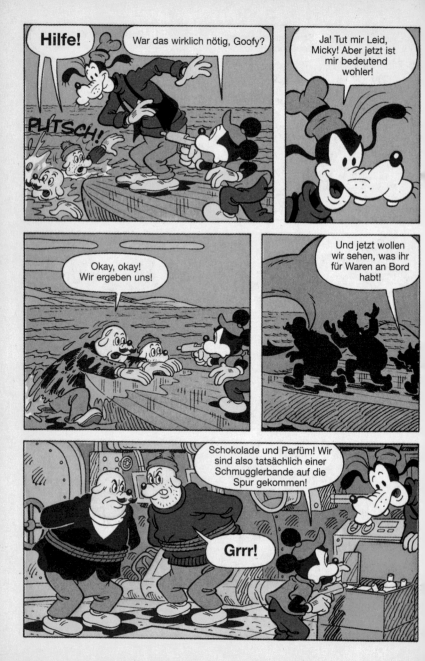

193

194

195

197

Aber so ist das nun mal mit Erfolgsfilmen!

Sobald die Produzenten sehen, dass die Kassen klingeln...

...drehen sie eine Folge nach der anderen!

Von Trambo gibt es auch schon 34 Folgen.

Ganz zu schweigen von Grocky! Davon gibt's 72!

Den Vogel schießen sie mit Badman 199 ab!

Glaub ja nicht, dass Ghostbusters 56 der letzte war!

Hoffentlich nicht! Diese Filme über Geister sind nämlich überaus lehrreich.

BRÖHL WEG

Man lernt daraus, wie man sich gegen die mysteriösen Kräfte des Übernatürlichen wappnen kann! Das **muss** man einfach wissen!

Aber Onkel Donald!

Das ist doch hoffentlich nicht dein Ernst?!

Die Geschichten in diesen Filmen sind doch allesamt erfunden!

In Wahrheit gibt's gar keine Geister!

Jetzt hört mir mal gut zu, ihr naseweisen Besserwisser!

Ich weiß, wovon ich rede, weil ich sämtliche Bücher über Geistererscheinungen gelesen und alle Filme gesehen hab.

Offenbar zu viele!

Spottet ihr nur! Aber wenn sie kommen, werde ich der Einzige sein, der sie aufhalten kann!

Wenn sie **wohin** kommen? Etwa nach Entenhausen? Jetzt mach aber mal einen Punkt, ja!?

Geister von der Sorte gibt es bloß in der Fantasie dieser Filmemacher. Alles nur Hirngespinste!

Und je haarsträubender die Geschichte, desto größer wird nachher der Kassenerfolg.

Sogar Erwachsene fahren auf solche Gruselmärchen ab.

BUS

201

203

300 Jahre? Aber dann müssen Sie doch selber ein Geist sein!

Richtig! Aber ein **guter** Geist! Ich habe nichts mit diesen finsteren Mächten zu tun, die von euch Besitz ergreifen wollen!

KA-RACKS!

Zu meinem Leidwesen planen sie grade wieder einen Großangriff. Mit meiner angeschlagenen Gesundheit wird es mir kaum gelingen, sie aufzuhalten. Deshalb bin ich gekommen!

Ich muss Sie vor ihnen warnen, damit wenigstens einer darauf vorbereitet ist und den Kampf mit ihnen aufnehmen kann.

Schluck! Ich? Und wer genau wird da kommen?

Die Geister, die in Mordock eingesperrt sind! Die Vereinigung der Astralen hat für sie einen spektralen Kanal geschaffen.

Durch den werden die bösen Geister direkt nach Entenhausen gelangen! Und zwar bald!

Und was kann ich dagegen tun?

204

206

210

211

ERSTER STOCK
OBST UND *GEMÜSE*

ERDGESCHOSS
FLEISCH- UND
PRODUKTE

Geistreiche Einfälle hat er, unser Geist! Hmpf!

Wo hat er sich nur versteckt?

Ich glaube, er ist in der Abteilung für Obst und Gemüse, Donald.

Was hiermit wohl auch bewiesen wäre!

WUSCHH!

Pffff!

Urgsss!

WUUUSCHHH!

PATSCH!

219

So was von dämlich!

Und nicht gespielt! Die sind so!

Grrr! Damit werden mich meine Freundinnen noch in zehn Jahren aufziehen!

Nur zwei Deppen wie Donald und Dussel konnten auf so einen Schwachsinn reinfallen!

Ich hab zwar keine Ahnung, was passiert ist...

...aber eins weiß ich sicher: Nach der Blamage sehen wir die zwei so bald nicht wieder.

Richtig! Auf einer bis dahin unbewohnten Südseeinsel...

Nach dieser Schmach können wir uns in Entenhausen so schnell nicht wieder sehen lassen!

Hörst du das? Was ist das plötzlich für ein komisches Grummeln, Donald?

ENDE

225

Das ist doch zum Mäusemelken! Eine hochbegabte Hexe wie ich muss kapitulieren, wenn es um so etwas Banales wie schnöden Mammon geht.

Schlürf! Schmeckt auch ohne Tollkirschsaft nicht übel.

SCHLÜRP!

BRODEL!

Können tät ich's ja! Aber Geld zaubern ist uns Hexen verboten. Dabei reicht die monatliche Finanzspritze vom I.H.H.* hinten und vorne nicht.

*Inter-nationales Hexen-Hilfswerk.

Mjam! Schmeckt ja herrlich abscheulich!

Wie soll man da die Zutaten für Zaubertränke noch bezahlen können?

GLUCK! GLUCK!

Ich muss mir wohl eine Arbeit suchen... he! Hörst du mir zu?

Ich? Aber klar doch!

Hm... vielleicht ist bei den Stellenangeboten was für mich dabei!

HEXEN-BOTE

Pah! Kein Mensch sucht eine qualifizierte Hexe mit jahrelanger Berufserfahrung!

Moment mal! Diese Anzeige klingt recht interessant.

ZÜNGEL!

DER ENTENHAUSENER LUNAPARK BITTET UM VORSCHLÄGE FÜR EIN NEUES GEISTERHAUS. FÜR DIE BESTE IDEE GIBT ES EINE HOHE BELOHNUNG. TELEFON 39 58 72

Ein Geisterhaus entwerfen! Wer könnte das besser als ich?

Los, du Vielfraß! Diese Belohnung reißen wir uns unter den Nagel!

Rülps!

WITSCH!

227

229

230

231

232

233

234

237

...gibt es keine Sicherheitsgurte an Bord?

Du hast heut wohl deinen spaßigen Tag?

Du sitzt hier auf einer lebendigen Fledermaus und nicht in einem Flugzeug, Goofy!

Oh!

Alle Wesen in diesem Geisterhaus sind echte Geschöpfe der Finsternis!

UAAH-HA-HA!

Und jetzt rein in den Satansschlund! Halt dich fest!

Ach du Schreck!

ZUUUMM!

241

242

243

245

*Der Roch ist ein Riesenvogel, der in persischen und arabischen Märchen zu Hause ist.

248

Der HÄRTETEST

WALT DISNEY

Sciencefiction – für viele ist das gleichbedeutend mit fantastischen Abenteuern in den unendlichen Weiten des Weltalls...

SPOTZ! SPOTZ!

SCIENCEFICTION

ZUMM!

I/T 1930 D

251

253

256

264

269

274

Oh, wo ich grade „Bohnen" lese... bist du sicher, dass Jupp diese manipulierten Bohnen geschaffen hat?

Hm... nicht ganz. Diese Art von Mutationen ist eigentlich nicht sein Fachgebiet.

Außerdem hätte er uns doch bestimmt etwas davon erzählt.

Moment mal! Mir fällt gerade was ein! Jupp kann es ja gar nicht gewesen sein!

Und warum nicht?

Er ist seit mehr als vier Wochen im Urlaub.

Schluck! Was sagst du da?

Wer hat dann diese Bohnen geschaffen?

Seufz! Mir kommt da ein überaus grässlicher Verdacht.

Bohnen, erntefrisch, gehörn auf deinen Tisch!

50 T

1 T

20 T

15 T

277

279

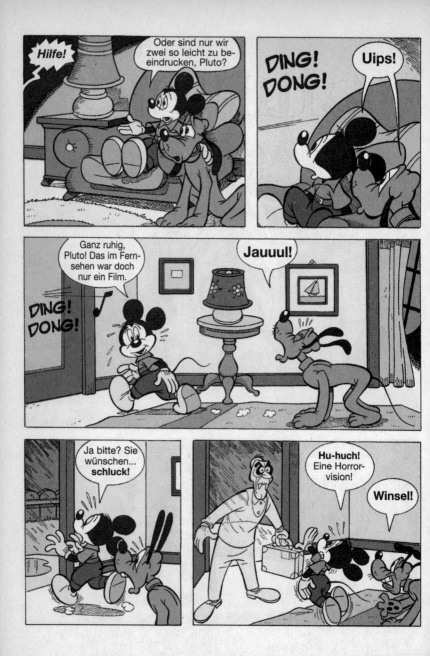

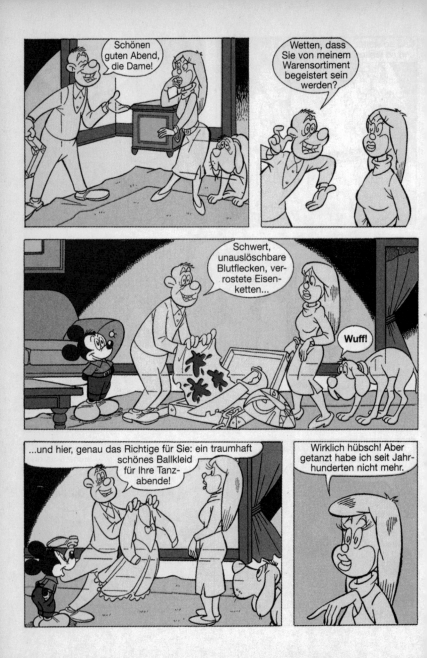

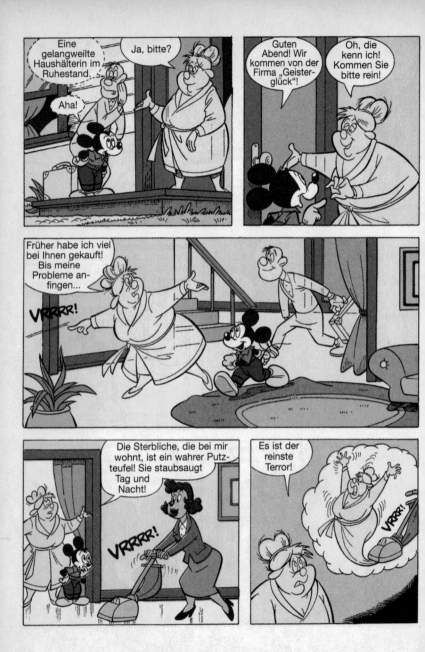

298

299

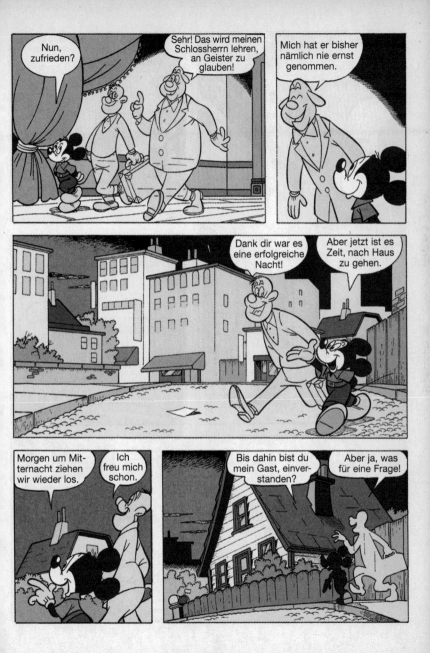

303

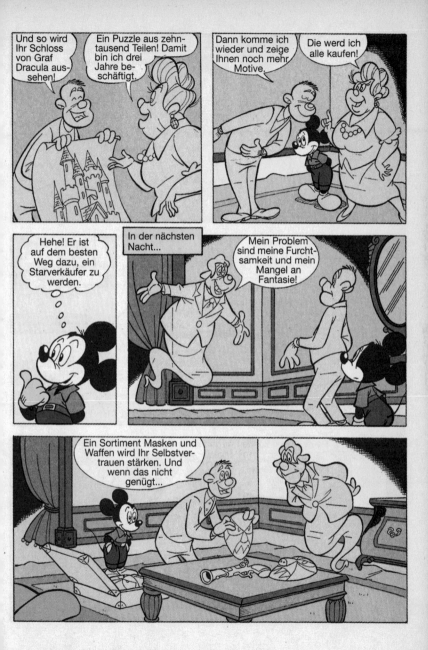

Und so wird Ihr Schloss von Graf Dracula aussehen!

Ein Puzzle aus zehntausend Teilen! Damit bin ich drei Jahre beschäftigt.

Dann komme ich wieder und zeige Ihnen noch mehr Motive.

Die werd ich alle kaufen!

Hehe! Er ist auf dem besten Weg dazu, ein Starverkäufer zu werden.

In der nächsten Nacht...

Mein Problem sind meine Furchtsamkeit und mein Mangel an Fantasie!

Ein Sortiment Masken und Waffen wird Ihr Selbstvertrauen stärken. Und wenn das nicht genügt...

306

Einige Nächte darauf...

Wir beenden unser heutiges Programm mit den Spätnachrichten...

Seufz! Das war's für heute.

Wir haben uns an einen anderen Tagesrhythmus gewöhnt, was, Pluto?

Wuff!

Um diese Zeit sind wir immer mit Ralf losgezogen und haben die tollsten Sachen erlebt.

KLICK!

Bin gespannt, ob er wirklich wiederkommt.

Klar, da bin ich schon! Und ich bringe große Neuigkeiten!

POFF!

Ralf!

315

319

321

324

325

327

329

BUMM! BUMM!

Aha! Da klopft jemand an die Tür! Hehe!

Mach sofort auf! Ich habe ein Hühnchen mit dir zu rupfen! Los, lass mich rein!

Und wenn du noch so da draußen rumtobst, ich denk nicht dran, dich reinzulassen.

Du willst mich aussperren? Dann komm ich eben wieder durch die Mauer.

Hehe! Wetten, dass nicht? Ihr Geister könnt in keinen Raum eindringen, in dem Licht brennt.

Und ich habe vorsichtshalber alle Lampen angemacht.

Na schön, ich kann nicht rein, aber du kannst auch nicht raus, solange ich die Tür belagere!

Das Ende vom Lied...

Herr Duck wurde also angezeigt wegen Nachtruhestörung?

Jawohl! Er spielte auf einem Dudelsack mit voller Lautstärke.

Ein wundervolles Instrument, für das ich eine große Leidenschaft hege.

Puh! Glück gehabt!

TAPP! TAPP! TAPP!

Aber zu nächtlicher Stunde ist Dudelsackmusik eine Zumutung für die Mitmenschen! Eine Nacht im Gefängnis wird Sie bestimmt zur Vernunft bringen!

Gefängnis?

BUMM!

Und so...

Wäre zwecklos gewesen, ihm von dem Gespenst zu erzählen. Keiner der bei Verstand ist, hätte mir auch nur ein Wort geglaubt. Seufz!

Aber das werde ich ihm heimzahlen, wenn ich morgen wieder nach Hause komme.

Inzwischen...

Seufz! Ich fürchte, ich habe mich Donald gegenüber nicht besonders nett benommen.

335

„Das Schloss, in dem ich wohne, wird tagtäglich von unzähligen Touristenbussen heimgesucht..."

„Die Fußböden und Mauern erzittern, wenn ganze Heerscharen von Besuchern in das Schloss einfallen..."

KLICK! KLICK! KLICK!

„Und ich bin gezwungen, als regloses Porträt diesem Treiben tatenlos zuzusehen."

KLICK! KLICK! KLICK!

Wenn man dahinter käme, dass in dem Schloss ein Geist wohnt, würden noch mehr Besucher kommen, und zwar das ganze Jahr über!

Hm... verstehe!

Schick ihn zurück nach Schottland! Das wäre eine herrlich teuflische Rache! Und verdient hätt er's, oder?

Hab Erbarmen mit ihm! Er ist doch im Grunde ein friedliebender Gast! Meinst du nicht?

337

339

341

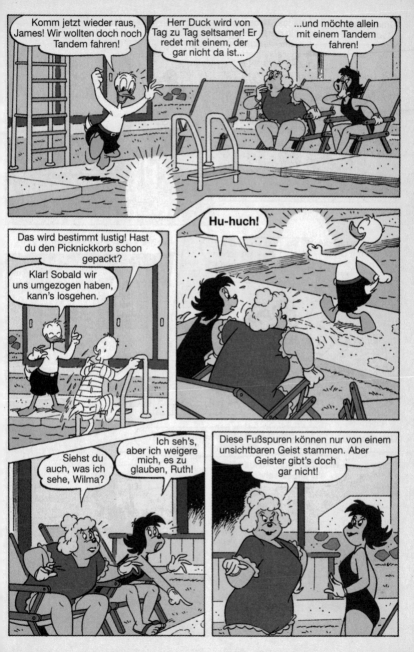

344

345

348

Am nächsten Morgen versammelt sich alles am Seeufer, um den Beginn der Bohrungen aus nächster Nähe mitzuerleben...

Löst die Vertäuung und steuert das Floß zur Seemitte!

TUCK! TUCK! TUCK!

Beeilung, Leute! Bringt die Bohrer in Position! Stellt die Instrumente ein!

KLOING! SURR!

TUCK! TUCK!

KLANG!

PETROL AG
- PROBEBOHRUNGEN

Dieser Lärm wird die Fische zu Tode erschrecken.

Wer schert sich schon um deine Fische, Tom?

Da! Der Dicke, der grad gekommen ist, das ist der Oberboss der Ölgesellschaft.

356

357

359

Keine Angst, Goofy! Wir bleiben in sicherer Entfernung.

Sehr beruhigend! Hehe!

Beeilt euch, wenn ihr das Ungeheuer noch sehen wollt!

Wollen wir?

Einen Augenblick bitte, Herr Maus! **Herr Maus!**

Ja?

Ich bin Sergeant Miller. Haben Sie schon von dem Seeungeheuer gehört?

Ja! Haben Sie es etwa auch gesehen?

Das nicht, aber die Geschichte verbreitet sich wie ein Lauffeuer. Und mit nur zwei Leuten bin ich völlig überfordert.

362

363

365

367

ROMMS!

KRAAACKS!

KLIRR!

UUUUAAAAAH!

STAMPF!

Die Baracke brennt lichterloh!

Da liegt jemand auf dem Boden!

Zum Glück geht das Feuer von selber aus.

Er ist nur ohnmächtig!

Muss ein höchst seltsames See-ungeheuer sein! Diese Beule sieht aus, als wäre sie ihm mit einem Knüppel verpasst worden!

Stöhn!

371

373

374

375

377

Aber wie konntest du in der kurzen Zeit so ein großfüßiges Monster bauen?

Das habe ich seinerzeit als Erinnerung behalten, nachdem wir „Das Monster vom Nebelmoor" fertig gedreht hatten!

Ich wusste, dass die Fußabdrücke und das nächtliche Gebrüll ausreichen würden, um den Leuten einen gehörigen Schrecken einzujagen.

Aber weil es die gleichen Fußabdrücke wie im Film waren...

...hast du die Filmrolle gestohlen, damit keiner die verräterischen Abdrücke wiedererkennen konnte.

Aber Goofy hat die Spuren trotzdem erkannt und mich auf die richtige Fährte gebracht.

Du hast es also gleich gewusst?

Nein! Erst hatte ich nur einen vagen Verdacht. Aber bei Toms Reaktion, als der Sergeant von der Grotte am Seeufer sprach, ist es mir wie Schuppen von den Augen gefallen.

„Deshalb täuschte ich ein Unwohlsein vor und bin euch zur Grotte vorausgeeilt..."

„Dort fand ich die mechanischen Monsterfüße und lenkte sie in den hintersten Winkel der Grotte. **Rückwärts,** damit es so aussah, als hätte sich das Ungeheuer in den See zurückgezogen."

STAMPF!

KNARR!

STAMPF!

Und du bist natürlich aus allen Wolken gefallen, als du entdeckt hast, dass dein „Monster" nicht mehr in der Grotte war! Hehe!

Aber warum hast du mir geholfen, statt mich vor allen anderen zu entlarven?

Warum sollte ich, Tom? Es ging dir doch nur darum, den Lago Paradiso zu retten.

Und nachdem auch die Ölgesellschaft von deinem „Seeungeheuer" profitiert hat, sah ich keinen Grund, dein Geheimnis auszuposaunen.

Danke, alter Freund! Du hast mir geholfen, den Lago Paradiso zu retten!

Musste er doch! Wo hätten wir sonst in Zukunft unsere Ferien verbringen sollen?

ENDE

385

389

391

398

401

Ich fürchte, guter Wille allein reicht nicht aus.

Fauch!

...Mo-Mo-Monster!

WOMS!

Da habt ihr sein „Monster"!

Während Onkel Dagobert sich von dem Schreck erholt...

Ich hab eine Idee, Kinder! Onkel Dagobert muss diesem Geldsauger-Monster begegnen.

Genial! Und wie finden wir es? Sollen wir vielleicht eine Zeitungsannonce aufgeben?

408

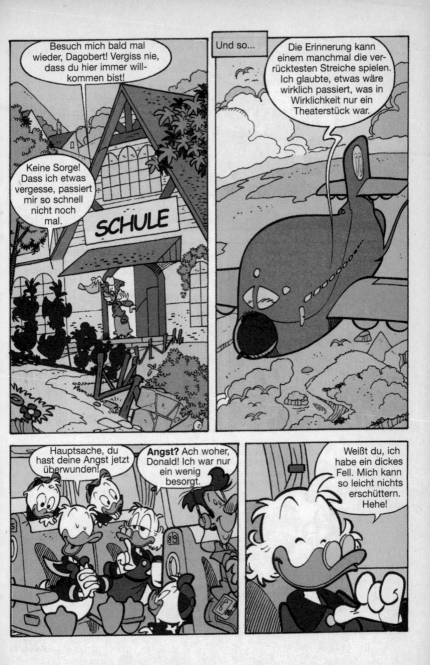

413

Eine gespenstische Erbschaft

Walt Disney

Oh! Goofy hat offenbar Besuch!

Nein!

ULMENSTRASSE

I/T 1954 B

415

419

423

425

427

428

429

431

433

434

Geisterfreuden

WALT DISNEY

Die Wüste: sengende Sonne, Geier und Kojoten. Mittendrin unsere Freunde...

I/T 1792 A

435

Nach weiteren 30 Minuten...

Hm... eine pulsierende Großstadt stelle ich mir anders vor.

So sieht eher eine Geisterstadt aus. O Mann, sind das Bruchbuden!

Macht nicht die Pferde scheu!

Hört euch mal dieses seltsame Geräusch an!

RAT-TAT-TAT!

Der Motor kann's nicht sein. Den hat Onkel Donald abgestellt.

439

441

An der Theke. Es wollte mir was zu trinken geben.

Im Ernst?

Ach!

Und so...

Ruh dich aus! Du bist sicher über-anstrengt.

Es war aber da! Ich...

Ja, ja, beruhige dich! Wir sind im Zimmer nebenan. Schlaf gut!

Es wird Nacht in der Geister-stadt. Bis auf die Katzen scheint alles zu schlafen...

MIAU!!! MIAU!!!

RAT-TAT!

Einer jedoch ist wach und findet keine Ruh...

443

444

445

446

447

448

449

457

Die Bestie von Moorlake Manor

WALT DISNEY

Moorlake Valley! Wir sind da, Goofy!

Wir ja! Aber sonst anscheinend niemand. Bist du sicher, dass wir hier richtig sind?

MOORLAKE VALLEY

?

D 5608

461

462

„Aber noch Schlimmeres geschah am Tag darauf. Ich ging gerade über den Hof bei den Stallungen, als plötzlich..."

Graurrr!

Wieher! Schnaub!

„Die Pferde hatten sich losgerissen und waren ganz außer Rand und Band. Was sie so erschreckt hatte..."

Wieher!

„...war die Sumpfbestie! Ich sah gerade noch, wie sie hämisch grinsend durch die offene Stalltür verschwand."

Wenn dieser Spuk nicht bald aufhört, sehe ich mich gezwungen, das Schloss meiner Väter zu verlassen.

Vielleicht ist es gerade das, was die... äh... Bestie erreichen will.

465

466

467

469

471

473

474

475

476

477

ENDE

482

487

489

493

495

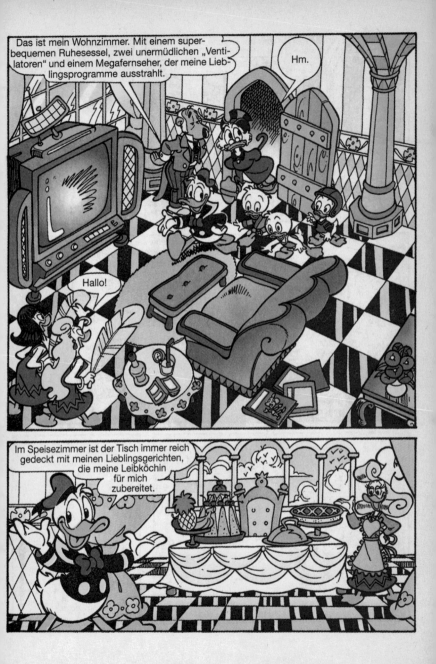

499

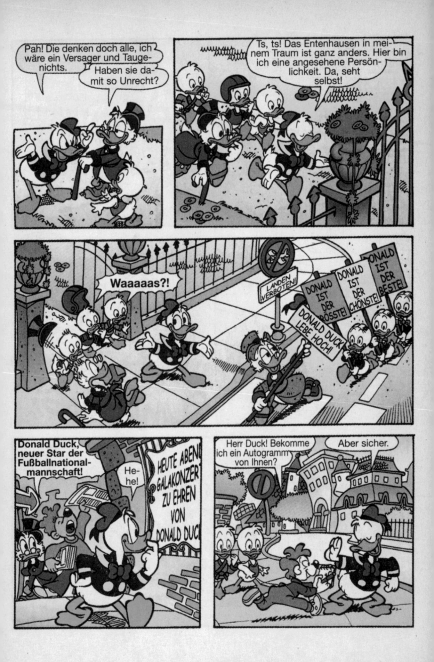

502

Das nächste LTB Spezial Nr. 21 erscheint am 5. Oktober!